# Indice

KT-228-217

## Indice delle tracce del CD audio

Chi non ha il CD audio può scaricare le tracce 7-12 dal nostro sito www.edilingua.it alla sezione *Primiracconti.*

# Premessa

La collana *Primiracconti* nasce dalle sempre più frequenti richieste da parte degli studenti di leggere "libri italiani". Tutti sappiamo però quanto ciò sia difficoltoso, soprattutto per studenti di livelli non avanzati; si è pensato quindi di realizzare racconti graduati che potessero da una parte soddisfare il piacere della lettura con un testo narrativo non troppo esteso né difficile da comprendere e dall'altra offrire un mezzo per raggiungere una maggiore conoscenza della lingua e della cultura italiana. Ogni racconto, infatti, è corredato da attività mirate allo sviluppo di varie competenze, in particolare quelle legate alla comprensione del testo e al consolidamento del lessico usato nel racconto, un lessico che comprende, non di rado, anche espressioni colloquiali o gergali molto diffuse in Italia, presentate sempre in contesto.

Tutti i racconti si avvalgono di vivaci disegni originali (presenti anche nella sezione delle attività) che, oltre ad avere una funzione estetica, sono stati pensati e realizzati per aiutare lo studente a raggiungere una maggiore e più completa comprensione del testo. Allo stesso scopo sono state inserite le note a piè di pagina, ben calibrate nel testo per non appesantirne la lettura.

Ciascun capitolo del racconto è introdotto da una o due brevi domande che hanno lo scopo non soltanto di collegare il nuovo capitolo a quello precedente, ma soprattutto di mantenere alta e viva la motivazione dello studente-lettore, il quale viene introdotto nell'intreccio degli avvenimenti che il nuovo capitolo andrà a svelare.

I racconti di questa nuova collana di Edilingua possono essere usati sia in classe sia individualmente, così come le attività relative ad ogni capitolo possono essere svolte sia in gruppo sia dal singolo studente; da una parte, infatti, si fa riferimento alla lettura collettiva, sempre utile in classe in relazione a un testo narrativo; dall'altra si offre l'occasione unica di una lettura individuale, importante tanto per un eventuale e successivo lavoro in classe, quanto, e soprattutto, per lo studente all'inizio del suo percorso di studio dell'italiano.

Ciascun racconto è accompagnato da un cd audio, con la lettura a più voci del testo eseguita da attori professionisti. Il cd audio è importante non solo perché offre delle interessanti attività di ascolto, ma anche perché fornisce allo studente l'opportunità di ascoltare la pronuncia e l'intonazione corretta del testo, cosa quanto mai importante ai primi livelli e sicuramente sempre gradita.

Buona lettura!

CANTERBURY COLLEGE

# Un giorno diverso

**Marco Dominici**

The Learning Resource Centre
Canterbury College
New Dover Road
Canterbury, Kent CT1 3AJ

CLASS No. 853 DOM

BOOK No. 110313

LOAN ... 
Italian Language

SHELF Collection

**A 2 - B 1**
preintermedio

Canterbury College

110313

www.edilingua.it

**Marco Dominici** è laureato presso la Statale di Milano e nel 2006 ha conseguito il Master Itals (Università Ca' Foscari di Venezia) per l'insegnamento dell'italiano come LS. Ha iniziato a insegnare italiano a stranieri nel 1989 presso l'Inlingua School di Ancona, la sua città di origine. Per quattro anni è stato docente di lingua e cultura italiana presso l'Istituto Italiano di Cultura di Damasco e poi presso il Centro Linguistico dell'Università di Damasco, in Siria. Attualmente collabora con la casa editrice Edilingua.

*A mia figlia Giulia,*
*la più bella storia mai scritta*

© **Copyright edizioni Edilingua**
Sede legale
via Paolo Emilio, 28  00192 Roma
info@edilingua.it
www.edilingua.it

Deposito e Centro di distribuzione
via Moroianni, 65  12133 Atene
Tel. +30 210 57.33.900
Fax +30 210 57.58.903

I edizione: dicembre 2008
ISBN: 978-960-6632-19-8 (Libro)
ISBN: 978-960-693-000-3 (Libro + CD audio)
Redazione: L. Piccolo, A. Bidetti
Impaginazione e progetto grafico: Edilingua
Illustrazioni: L. Sabatini
Registrazioni: *Networks* srl, Milano

*Ringraziamo sin da ora i lettori e i colleghi che volessero farci*
*pervenire eventuali suggerimenti, segnalazioni e commenti.*
*(da inviare a redazione@edilingua.it)*

I diritti di traduzione, di memorizzazione elettronica, di riproduzione e di adattamento totale o parziale, con qualsiasi mezzo (compresi i micro-film e le copie fotostatiche), sono riservati per tutto il mondo.

**Legenda dei simboli**

Fai gli esercizi 1-3 nella sezione *Attività*          Ascolta la traccia n. 6 del CD audio

Cosa fai ogni mattina? Fai tutti i giorni le stesse cose?
In italiano c'è un espressione per descrivere i giorni tutti uguali:
tran tran. C'è anche nella tua lingua un'espressione simile?

# Sognare di cambiare vita

Svegliarsi, alzarsi, lavarsi, fare colazione, vestirsi, andare al lavoro, traffico, stress, ufficio. E poi pausa pranzo, ancora ufficio, ancora traffico, stress, e infine a casa. Mangiare, guardare la tv, dormire. E poi svegliarsi, alzarsi, lavarsi... Ieri, oggi, domani, dopodomani, sempre così. Pietro è in bagno, si guarda allo specchio, vede un viso stanco, pallido[1], sempre lo stesso: il suo viso.

– Ciao Pietro, buongiorno – dice allo specchio. Lo specchio ripete:

– Ciao Pietro, buongiorno.

Parlarsi allo specchio non è un buon segnale[2], pensa Pietro. Mentre si fa la barba, continua a pensare alla sua giornata, oggi come ieri e come domani, sempre la stessa: "mi sveglio alle 7, mi alzo dopo un quarto d'ora, mi lavo, faccio colazione. Poi mi vesto, vado al lavoro, guido nel traffico, mi innervosisco, mi arrabbio, mi stresso. In ufficio prendo un caffè e comincio a lavorare. Anche in ufficio mi innervosisco, mi arrabbio e mi stresso. Anche quando esco dal lavoro e torno a casa, ancora nel traffico, mi innervosisco, mi arrabbio e mi stresso. E domani cosa farò? Mi sveglierò alle 7, mi alzerò dopo un quarto d'ora, mi vestirò, andrò al lavoro e mi innervosirò, mi arrabbierò e mi stresserò. Ma è vita, questa?"

Oggi è martedì, la settimana è appena cominciata, ma Pietro

---

1. *pallido*: bianco, senza colore.
2. *segnale*: qualcosa che ha un preciso significato (per esempio, il semaforo rosso è un segnale che significa STOP).

si sente già stanco, ha 36 anni e non ha fatto molto nella vita: ha solo un lavoro trovato da suo padre, non ha molti amici, non ha una ragazza, non ha hobby, non ha voglia di fare qualcosa di particolare nel tempo libero. Quando viene il weekend, si mette sulla poltrona e guarda la tv, spesso si addormenta prima della fine di un film e quando si sveglia c'è un nuovo film e lui non capisce niente: si chiede perché non c'è più Robert De Niro, perché adesso i personaggi sono in Francia e non a New York, insomma va a letto con la testa piena di confusione e non pensa a niente, solo a dormire e ad aspettare un nuovo lunedì, con il traffico, lo stress, il lavoro...
No, non è vita, la sua. Ma cosa può fare?
Prima di tutto, pensa Pietro davanti allo specchio mentre si fa la barba, cambiare.

– Sì, ma come – dice la sua faccia nello specchio.

– Cambiare, così! – Pietro schiocca[3] le dita.

– Sembra facile! – dice lo specchio.

– Se voglio, lo posso fare. Cambiare la mia vita, dall'oggi al domani[4].

– Allora dai! – dice lo specchio: – sono proprio stufo[5] di fare le stesse cose, ogni giorno, ogni settimana, per tutta la vita!

– Ok! – grida Pietro.

Finisce di farsi la barba, si veste e... invece di andare al lavoro, telefona all'ufficio:

– Pronto, voglio parlare con il direttore, sono Renzi. Pronto direttore? ...Sì, tutto bene, e Lei? ...Senta, oggi non vengo a lavorare e nemmeno domani. E forse non verrò nemmeno dopodomani. ...Sì, prendo le ferie[6]! ...Lo so che è strano, ma voglio prendere una settimana di ferie, o forse un mese, o forse un anno! ...No, non sono impazzito[7], sono solo stufo. ...Stufo di cosa? Di tutto, direttore, di tutto! Addio[8], signor direttore, ho deciso di cambiare, vado via, addio!

Pietro si sveglia. Sono le 5.40, è molto caldo, ha sete. Un sogno, è stato solo un sogno. Ha sognato di telefonare al direttore e cambiare vita. Anche se il sogno è finito, si sente ancora leggero ed è felice. Tra qualche ora la giornata ricomincerà e tornerà lo stress, ma ora si sente felice. Che bel sogno! Pietro adesso però non riesce a riaddormentarsi. Pensa al giorno che verrà, con il solito stress, il solito traffico, il solito lavoro. La solita vita. E pensa anche al sogno: "Cambiare, così!" Pietro schiocca le dita, poi si alza e va allo specchio del bagno.

"Perché no?" si chiede, improvvisamente sveglio.

1-3

---

3. *schioccare le dita*: muovere due dita in modo veloce per fare un rumore che si chiama "schiocco".

4. *dall'oggi al domani*: improvvisamente, subito.

5. *essere stufo*: essere stanco, annoiato.

6. *ferie*: periodo di riposo.

7. *impazzire*: diventare matto, pazzo.

8. *addio*: saluto definitivo, di chi non torna più.

> *In Italia c'è un detto: "anno nuovo, vita nuova". Cosa significa, secondo te? Tu hai mai pensato di cambiare vita? Perché?*

# Giorno nuovo, vita nuova

È ora di andare al lavoro, ma Pietro è ancora a letto: ha deciso davvero di cambiare la sua vita, e vuole cominciare proprio con la cosa che ha sempre desiderato fare: restare a letto invece di andare in ufficio!

Si alza solo dopo mezz'ora, guarda un po' di televisione e poi telefona in ufficio:

– Pronto, ciao Paolo, sono Pietro...

– Ciao Pietro, dove sei? Sei in ritardo, lo sai? È successo qualcosa?

– No, niente, è che... Senti, posso parlare con il direttore, per favore?

– Sì, ma... cosa è successo Pietro, non stai bene? Hai una voce strana!

– No, no, non ti preoccupare, Paolo, voglio solo parlare con il direttore.

– Va bene, un momento... – clic!, un'altra linea... la voce del direttore:

– Pronto!

– Direttore, sono Renzi...

– Sì, lo so che è Lei, Renzi: allora, cosa è successo, perché non è ancora in ufficio?

– Oggi non potrò venire, direttore, mi dispiace.

– Ah! Ci sarà un motivo, immagino!

– Veramente, un motivo vero no, diciamo che sono stanco, non ho voglia di lavorare...

Per un momento il direttore non risponde. Ma poi Pietro sente di nuovo la sua voce:

– Renzi, se oggi vuole scherzare non è il giorno giusto: abbiamo un sacco di[1] cose da fare, lo sa bene, siamo alla fine del mese e come sempre siamo pieni di lavoro... Che cos'è questa storia che non ha voglia, è impazzito? – Il tono della voce del direttore è sempre più alto e arrabbiato.

– No, non credo di essere impazzito. Sono stufo, ecco tutto[2]. Chiedo

---

1. *un sacco di*: molte (per esempio: Mario ha un sacco di amici).
2. *ecco tutto*: è tutto qui.

un periodo di ferie e...

– Renzi, Lei oggi deve essere diventato matto o non so cosa...

– Sì, forse sono impazzito, ma mi deve credere, direttore, non mi sono mai sentito così bene in vita mia. E ora la saluto, ho molte cose da fare anch'io, sa, è la prima volta che decido di non venire a lavorare, sicuramente troverò molte cose più interessanti da fare che lavorare!

– Ma... Renzi, Ren... – clic, Pietro ha già chiuso il telefono prima di sentire il direttore gridare davvero.

"Allora, adesso prima di tutto dormirò ancora un po', sono solo le otto e mezzo, che vado a fare fuori a quest'ora?" pensa Pietro a voce alta. Poi però cambia idea:

"Ma no, perché non passeggiare un po' per la città e divertirsi a vedere tutti gli altri che vanno a lavorare mentre io cammino tranquillo senza avere niente da fare?"

Allora, come ogni giorno, ma con un umore molto diverso, anche oggi Pietro si alza, si lava, si fa la barba e si veste.

– Colazione al bar! – grida poi allo specchio, che come sempre ripete tutto quello che lui dice e fa.

Piero esce di casa e guarda la città come un turista che la vede per la prima volta: Roma è bella anche con il traffico, pensa mentre cammina senza fretta per le strade piene di macchine, autobus, tutta gente che ha fretta, corre per qualche motivo. Pietro no, oggi è un giorno diverso, per lui: va a comprare il giornale all'edicola sotto casa; il giornalaio, abituato a vedere Pietro sempre prima delle 8, si stupisce:

– Dotto'[3], che è[4]? Oggi fa vacanza?

– Proprio così, Nando, perché, non si può?

– Eeeh, magari sempre[5], dotto'! Dove va di bello?

– Per adesso vado solo a fare una passeggiata in centro!

Nando il giornalaio ride e dà a Pietro il solito giornale, ma Pietro non lo prende.

– No, Nando, oggi non voglio il solito giornale, voglio qualcosa di nuovo.

– Ah, ma allora cambiamo proprio vita! – dice Nando, che fa sempre la solita vita ogni giorno, come Pietro.

– Perché no? Vita nuova! – ride Pietro, e prende un giornale che di solito non legge. Così, tanto per cambiare[6].

Il bar è poco lontano dal giornalaio, Pietro attraversa la strada con il giornale sottobraccio e già pensa alla sua bella colazione al bar: da quanto tempo non fa colazione al bar? Dai tempi dell'università.

Ma Pietro non sa cosa lo aspetta al bar...

**4-6**

---

3. *dotto'*: sta per "dottore": è un modo di chiamare le persone a Roma.
4. *che è?*: sempre a Roma, significa: "Che succede?".
5. *magari sempre*: espressione che usiamo per esprimere un forte desiderio, una speranza.
6. *così, tanto per...*: espressione che usiamo quando facciamo qualcosa per il solo piacere di fare qualcosa di diverso.

*Pietro va a fare colazione al bar. Tu, di solito, fai colazione?
Quali sono le tue abitudini?*

# Un cappuccino un po'... diverso!

Poco dopo Pietro è in un bar vicino a casa sua. Di solito gli italiani
fanno colazione al bar: bevono un caffè o un cap-
puccino e mangiano un cornetto[1] mentre sfogliano[2] il
giornale, e poi vanno a lavorare. Pietro no, preferisce
fare colazione a casa, mangiare i suoi biscotti, preparare
il suo caffè... Ma oggi è un giorno diverso, e decide di
fare tutte cose nuove: perciò eccolo al bar vicino a casa,
pieno di impiegati che prendono in fretta un caffè e corrono in
ufficio, o di avvocati che sfogliano il giornale mentre bevono
il cappuccino. C'è anche qualche studente che mangia
una pasta[3] e legge qualcosa seduto al tavolino.
Pietro non sa se sedersi o restare in piedi alla
fine decide di sedersi, ma su uno sgabello al
bancone[4].
Adesso è al bancone che guarda il barista correre di qua e di là per servire i clienti e non ha
ancora deciso cosa prendere.

– Desidera[5]? – chiede il barista.

---

1. *cornetto*: il cornetto italiano è quello che in Francia
   (e in altri paesi) si chiama *croissant*.
2. *sfogliare*: girare le pagine leggendo senza attenzione.
3. *pasta*: dolce di piccole dimensioni.
4. *bancone*: è il lungo tavolo che vediamo in tutti i bar italiani, dove le persone bevono il caffè o il cappuccino.
5. *desidera?*: un modo gentile per chiedere: "cosa vuole,
   signore/a?"

– Un caffè... anzi, no[6], un cappuccino! – dice Pietro a voce non molto alta.

– Prego? – il cameriere, nella confusione del bar, non ha sentito bene.

– Un cappuccino – ripete Pietro.

Il barista comincia a lavorare con la macchina del caffè, poi prepara il latte e infine mette la tazza[7] sul bancone, davanti a Pietro.

– Vuole un po' di cacao?

– Sì, grazie.

È la prima volta che Pietro guarda con attenzione un barista preparare il cappuccino e adesso che la tazza è lì davanti a lui, bella calda, pensa che è stata proprio una buona idea venire al bar.

Ma mentre Pietro si prepara a bere il suo bel cappuccino, un uomo elegante grida dall'entrata del bar – Un caffè! – ed entra di corsa[8]. In quello stesso momento si alza un giovane studente dallo sgabello vicino a Pietro: il signore elegante non vede lo studente e i due si scontrano[9]. Lo studente per non cadere mette la mano sulla schiena di Pietro proprio mentre Pietro beve il suo cappuccino, che cade tutto sui suoi pantaloni e sulla camicia.

– Oh, mi scusi tanto... – lo studente è davvero dispiaciuto[10] e guarda triste i pantaloni di Pietro.

– No, niente, non fa niente... – prova a dire Pietro, che si alza in piedi.

---

6. *anzi, no*: espressione che usiamo quando cambiamo idea.

7. *tazza*: beviamo il caffè nella tazzina e il cappuccino nella tazza.

8. *di corsa*: con molta fretta.

9. *scontrarsi*: sbattere, urtare con violenza contro qualcosa o qualcuno.

10. *dispiaciuto*: non contento, non soddisfatto.

– Davvero, scusi... Per favore, un altro cappuccino per il signore! – dice lo studente al barista mentre indica Pietro.

– No, lasci, lasci, non fa niente, davvero.

Mentre lo studente esce dal bar, al suo posto si siede il signore entrato di fretta, che guarda i pantaloni di Pietro con un'espressione sorpresa.

Pietro paga il cappuccino alla cassa e torna a casa, per cambiare i pantaloni. Come inizio di una nuova vita, non c'è male.

7-9

*Usi spesso i mezzi pubblici (autobus, metrò, tram) nella tua città?
Secondo te, cosa c'è di positivo e cosa di negativo nell'uso dei mezzi?*

# Secondo tentativo

Sono le nove e mezzo e Pietro è ancora una volta a casa, per cambiarsi: si mette un paio di jeans e una camicia bianca. Poi esce e decide di andare a fare un po' di shopping, un'altra cosa che non fa spesso.
Quando il giornalaio Nando lo vede passare davanti all'edicola per la seconda volta, si stupisce ancora di più:

– Dotto', che è? Ha già finito la passeggiata?

– No, Nando, ho avuto un piccolo incidente con il cappuccino, ho dovuto cambiare i pantaloni.

– Che, ha fatto come i bambini, che si sporcano sempre quando mangiano? Eh eh eh!

– Càpita[1], Nando, quando il bar è pieno e la gente è distratta! Per favore, un biglietto del bus.

– Ecco, dotto', un euro. Buona giornata, speriamo senza altri incidenti!

– Speriamo, Nando, ci vediamo!

Pietro vuole prendere l'autobus, anche questa è una cosa che non fa quasi mai, usa sempre la macchina e non conosce bene gli autobus di Roma. Decide di chiedere a una signora che aspetta in piedi alla fermata.

– Scusi signora, devo andare in centro, che autobus devo prendere?

– In centro dove? Ci sono almeno sei bus che vanno in centro.

– In via Condotti.

– Allora deve prendere il 23. Però va bene anche il 56. Se vuole cam-

---

1. *capita*: succede (per esempio: non c'è problema, succede spesso).

minare un po', può prendere anche il 76: scende in Piazza Venezia e poi continua a piedi.

– Ho capito, grazie mille, signora.

– Di niente. Ma Lei non è di Roma?

– Sì, ma non uso mai l'autobus, vado sempre in macchina.

– E fa male, la macchina inquina e non si trova mai parcheggio. E poi voi giovani spendete tanti soldi per andare in palestra, ma usate la macchina anche per andare dietro casa!

– Ha ragione signora, è proprio vero!

La signora ride, è una simpatica donna anziana, avrà 70 anni.

– Ecco il 23, è fortunato! – dice la signora, e indica[2] un autobus che sta arrivando[3].

– Grazie ancora, signora, proverò a seguire il suo consiglio! – dice Pietro mentre sale sull'autobus.

L'autobus è pieno. Pietro resta in piedi, ma dopo qualche fermata molte persone scendono.

– Scusi, è libero questo posto? – chiede Pietro a un signore seduto.

– Sì, prego.

– Grazie.

In quel momento entra nell'autobus una giovane mamma incinta[4] con una bambina: la bambina mangia una pasta, ha le mani sporche di crema e zucchero a velo[5].

Quando Pietro vede la mamma, si alza:

– Signora, vuole sedersi? Prego...

– Grazie, Lei è molto gentile. Vieni, Giulia – dice la giovane mamma alla bambina.

Ma mentre Pietro si alza per far passare la donna, l'autobus frena[6] im-

---

2. *indicare*: segnalare, mostrare con il dito.

3. *sta arrivando*: l'autobus arriva in questo momento.

4. *incinta*: che aspetta un bambino.

5. *zucchero a velo*: polvere di zucchero che di solito è sopra i dolci.

6. *frenare*: fermare (la macchina, la bicicletta, il treno, l'autobus ecc.).

provvisamente: tutti si aggrappano[7] dove possono, ma la bambina è troppo occupata a mangiare la sua pasta e cade su Pietro.

– Oh, mi scusi! Giulia! Guarda cosa hai fatto! – dice la mamma e indica alla figlia i pantaloni di Pietro, sporchi di crema e zucchero a velo.

– Non fa niente signora, non si preoccupi...

– Come non fa niente? Ha i pantaloni tutti sporchi! Mi dispiace tanto!

– E Lei, come guida? – grida la signora all'autista, che alza una mano per chiedere scusa.

– Scusi, signo'[8], ma un tizio[9] ha frenato d'improvviso. Pietro non ha voglia di tornare a casa per cambiarsi ancora i vestiti: scende alla prima fermata e cerca un negozio di abbigliamento: adesso ha una ragione in più per comprare un nuovo paio di pantaloni. Ma, anche questa volta, Pietro non sa che al negozio non troverà solo un vestito nuovo...

10-12

---

7. *aggrapparsi*: tenersi con forza a qualcosa per non cadere.
8. *signo'*: in dialetto romano, significa signore/signora.
9. *un tizio*: una persona che non conosco.

*Pietro andrà in un negozio di abbigliamento. Tu in quali occasioni compri dei nuovi vestiti? Quanta importanza dai all'abbigliamento?*

# La commessa del negozio

Sono le 10, la gente va e viene per le vie del centro. Pietro guarda le commesse dei negozi: alcune sono al bancone che servono i clienti, altre sono in piedi all'entrata del negozio a guardare la gente che passa.

Pietro per un momento dimentica i suoi pantaloni sporchi: le commesse sono così belle! Anche i negozi sono bellissimi, ma anche molto cari. Comunque Pietro ha deciso di fare qualcosa di veramente unico in questo suo primo giorno di vita nuova e non vuole badare a spese[1]. Vuole inaugurare[2] la sua nuova vita in modo davvero speciale.

Mentre cammina e guarda le vetrine dei negozi, Pietro non riesce a decidere in quale entrare: sono tutti molto belli e i vestiti sono tutti simili. Poi però qualcosa attira la sua attenzione: da un negozio esce una musica allegra, una canzone non nuova, ma che Pietro ascoltava spesso quando era più giovane. Si avvicina al negozio e vede la commessa seduta al bancone, che legge il giornale: è una bella ragazza, avrà circa 30 anni, con i capelli neri e lunghi. Ha una camicia verde molto elegante e la gonna bianca e leggera. Pietro ha sempre preferito le ragazze more[3]: una ragione in più per entrare.

– Buongiorno, signore, desidera? – chiede la ragazza.

– Vorrei un paio di pantaloni: come vede, ho avuto un piccolo incidente con una pasta alla crema – sorride Pietro.

– Sì, vedo, vedo! – ride la ragazza: – Deve essere molto goloso[4]!

---

1. *non vuole badare a spese*: non vuole pensare a quanto spenderà.
2. *inaugurare*: dare inizio in modo ufficiale a qualcosa (per esempio: inaugurare un negozio).
3. *mora*: con i capelli neri.
4. *goloso*: chi ama mangiare molto qualcosa, per esempio dolci.

Ridono tutti e due. Poi Pietro indica le camicie:

– Vorrei anche vedere delle camicie.

– Perfetto. Cominciamo con i pantaloni?

– D'accordo.

– Che taglia[5] porta? Una 48, vero?

– Sì.

– Che colore preferisce?

– Vorrei un blu o un nero, ma anche un grigio può andare bene.

– Pantaloni di lino o di cotone?

"Non ho mai avuto pantaloni di lino" pensa Pietro. Ragione in più per comprarli proprio oggi.

– Di lino – dice con voce sicura. La ragazza sorride e dice: – Un momento, prego – e va a prendere i pantaloni che vuole Pietro.

– Ecco, questi sono molto belli, perfetti per l'estate.

Pietro guarda i pantaloni e tocca il tessuto: davvero morbidi!

– Sì, sono molto belli.

– Però, scusi eh, ma per l'estate non è meglio un colore più chiaro?

Pietro non sa che dire, non è abituato a fare shopping. – Non so, lei che colore mi consiglia?

– Guardi, ho portato anche questi, sono beige, un colore molto di moda, in estate.

– Sì, è vero, è un bel colore.

– Se vuole, li può provare nel camerino[6], qui a destra.

– Grazie. Prima, però, vorrei vedere anche la camicia, così provo tutto insieme.

– Come desidera. Anche la camicia di lino?

– Sì.

– Secondo me per lei va bene una large.

– Sì, esatto.

– Guardi, questa camicia secondo me è perfetta con questi pantaloni, cosa ne pensa[7]?

---

5. *taglia*: misura del vestito, le sue dimensioni.

6. *camerino*: in un negozio, è la piccola stanza dove proviamo i vestiti.

7. *cosa ne pensa?*: che cosa pensa di questa cosa?

– Sono d'accordo. Vado a provare tutto in camerino.

– Prego, è dietro quella porta, a destra.

Pietro entra nel camerino e si toglie i suoi jeans sporchi di crema e si mette i pantaloni di lino: che differenza! Come sono morbidi ed eleganti! Quando si mette anche la camicia e si guarda allo specchio non si riconosce[8]: è proprio vero che un buon vestito può cambiare anche l'aspetto della persona!

Quando Pietro esce dal camerino, la ragazza capisce subito che è molto contento:

– Vedo che è soddisfatto!

– Più che soddisfatto! – dice Pietro. – Vestito così sono un'altra persona!

– Non vuole anche una giacca? Solo per vedere come sta!

– Certo, una giacca dello stesso colore dei pantaloni.

– Ma certo, guardi qui – la ragazza indica alcune giacche molto belle:

– Può provare questa.

Dà a Pietro una giacca molto leggera, Pietro la misura subito e si guarda allo specchio.

– È perfetta! Così sono veramente una persona nuova!

– Vuole essere una persona nuova? – chiede la ragazza.

– Da oggi ho deciso di cambiare vita, perciò devo cominciare in modo completamente diverso la mia nuova vita. Ecco perché sono qui.

La ragazza ride: – Beato[9] Lei, che può cambiare così, da un giorno all'altro! Beh, complimenti, allora: vestito così, comincia davvero bene!

– Credo proprio di sì! Senta, dove posso comprare un buon paio di scarpe?

– Qui vicino, dopo 150 metri, c'è un ottimo negozio, e se dice che è un amico di Cinzia avrà sicuramente uno sconto.

– Cinzia è lei?

– Sì.

– Piacere, Pietro.

---

8. *non riconoscersi*: vedere se stessi diversi e pensare di non essere la stessa persona di prima.

9. *beato*: fortunato.

– Allora Pietro, oggi ha deciso di dedicare la mattinata allo shopping senza moglie?

– Proprio così, ma la moglie non ce l'ho. Però lo shopping è già quasi finito: dopo le scarpe non so più cosa comprare. Sa, non sono abituato ad avere tutto il giorno libero.

– Beh, se vuole può tornare qui e comprare un'altra camicia... o una cravatta. Abbiamo bellissime cravatte, sa... – Cinzia sorride.

– Perché no? – Pietro ha capito che questo è un invito: – Allora vado a comprare le scarpe e poi... torno qui, va bene?

– Perfetto, l'aspetto!

– Ah, devo pagare...

– Non si preoccupi, quando tornerà faremo i conti[10]!

---

10. *fare i conti*: calcolare il prezzo.

13-15

> *Secondo te, come continuerà questa "nuova vita" di Pietro?*
> *Fai almeno due ipotesi.*

# Vestito nuovo... vita nuova!

Alle 11 Pietro esce dal negozio di scarpe: ai piedi ha due bellissimi mocassini[1] marrone chiaro, perfetti con il vestito comprato da Cinzia. Nel negozio sono stati molto gentili con Pietro, conoscono bene Cinzia e hanno fatto un bello sconto al suo "amico." Mentre torna al negozio di Cinzia, Pietro pensa che oggi è davvero un giorno diverso: pensa a Cinzia, ai suoi occhi allegri e si dimentica del lavoro, del suo direttore, dei suoi colleghi noiosi.

Quando entra nel suo negozio, Cinzia corre da Pietro e lo guarda dalla testa ai piedi:

– Hai scelto delle scarpe bellissime, ora sei perfetto! Quasi quasi[2] ti sposo! – ridono tutti e due.

– Beh, per il matrimonio dovrò comprare un altro vestito, questo è troppo chiaro, non credi? – dice Pietro.

– Allora ti aspetto! – sorride Cinzia: – ma devi scegliere una brava ragazza!

– Eh, non ce ne sono poi così tante, è difficile! – dice Pietro, per continuare lo scherzo.

– Bisogna cercare bene, o essere fortunati – risponde Cinzia: – Tu sei fortunato?

– Beh, di solito no, ma oggi la mia vita sembra davvero cambiata!

– Ah sì? E perché? – chiede Cinzia, che però conosce già la risposta di Pietro.

– Sai – inizia Pietro: – oggi ho deciso di cambiare vita e, cosa incre-

---

1. *mocassini*: scarpe basse e leggere, senza lacci, che di solito usiamo in estate.
2. *quasi quasi*: espressione che usiamo quando desideriamo fare qualcosa.

dibile, proprio oggi ho incontrato una ragazza che sembra uscita dai miei sogni...

– No..! – sorride Cinzia.

– Proprio così – continua Pietro: – Il problema è che io con le ragazze sono una frana[3] e non so come fare per continuare a vederla!

Ora Cinzia ride forte: – Sei davvero una frana! Se vuoi il mio consiglio, prima di tutto devi invitarla a bere qualcosa fuori, o a cena in un ristorante.

– Dici che lei accetterà?

– Provare non costa niente! E poi sai benissimo che lei verrà!

– Beh, se lo dici tu, allora ci credo – dice Pietro: – Allora facciamo alle 8 stasera, quando stacchi[4]?

– Ma sei davvero una frana! Perché non mi inviti a prendere un aperitivo[5] adesso? – chiede lei.

---

3. *essere una frana*: non essere per niente bravo / non essere capace.
4. *staccare*: nel linguaggio colloquiale significa "finire di lavorare".
5. *aperitivo*: è una bevanda che molti italiani bevono prima del pranzo o della cena.

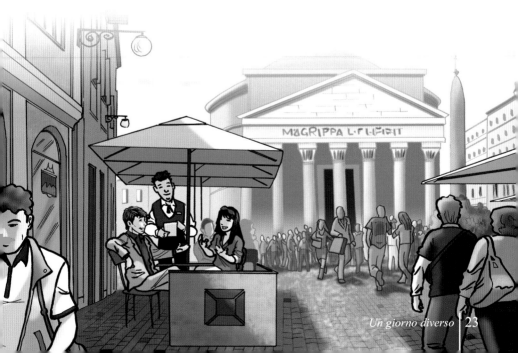

– Adesso? Ma non devi lavorare?

– Senti, la boutique è di mia madre, che però non ha voglia di lavorarci. Io posso aprire e chiudere quando voglio e, visto che ormai è quasi mezzogiorno e oggi è una giornata fiacca⁶, ho deciso di prendere un aperitivo con un ragazzo molto interessante che mi ha invitato. Che dici, faccio bene?

Pietro risponde subito, sicuro: – Ah, con lui puoi stare tranquilla, è un bravo ragazzo, anche troppo!

– Come anche troppo?

– Voglio dire che è una frana, dovrai aiutarlo un po'... sai, è uno che la mattina parla con lo specchio, o si arrabbia con il frigorifero se è vuoto.

– Ahahaha! – Cinzia ride mentre chiude il negozio: – Mamma mia, non sarà per caso mezzo matto, eh?

– No, si sente soltanto solo.

– Beh, lo capisco, anche se io non parlo con il frigorifero, preferisco la lavatrice! Sai, tra donne ci intendiamo⁷ di più! Cinzia e Pietro escono dal negozio e ridono come vecchi amici, anche se si conoscono da pochissimo. Per non disturbarli, li lasciamo al bar dove bevono l'aperitivo e parlano di loro, di come sono fatti, di cosa amano e di cosa odiano.

Il giorno dopo, quando Pietro si sveglia, trova in bagno il solito specchio ma non parla più con lui. Anche se il frigorifero è vuoto, non si arrabbia più. Non si arrabbia più con nessuno, è troppo felice e, dopo tanto tempo, si alza anche di buon umore.

16-18

---

6. *giornata fiacca*: giornata con poco lavoro (linguaggio colloquiale).
7. *ci intendiamo*: espressione che significa: "ci capiamo".

# Indice delle attività

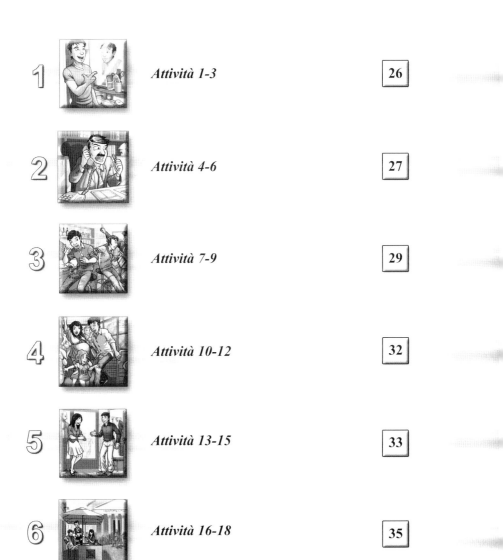

# Attività

## 1. Indica le affermazioni presenti nel testo.

1. Pietro si sveglia ogni mattina alle 8.30. ☐

2. Pietro lavora tutti i giorni della settimana. ☐

3. Pietro ha 36 anni. ☐

4. Pietro non è contento della sua vita. ☐

5. Pietro ha uno specchio che parla. ☐

6. Pietro ha sognato di cambiare vita. ☐

## 2. Inserisci le espressioni date nel contesto giusto.

> *Senti*        *Allora, dai*        *Sembra facile*

1. – ..............................., ho un problema: devo andare ad un matrimonio ma non ho un vestito elegante da mettere.
   – Beh, perché non vai in centro e non compri qualcosa di bello?
   – ...............................! Sono rimasto senza soldi!

2. ..............................., non credo che oggi potrò venire con te, mi dispiace.

3. Hai detto che vuoi parlare con quella ragazza? ...............................!
   Cosa aspetti, vai da lei!

## (7) 3. Ascolta il brano e completa gli spazi vuoti.

Oggi è martedì, la settimana è appena cominciata, ma Pietro (1)..................... già stanco, ha 36 anni e non ha fatto molto nella vita: ha solo un lavoro trovato da suo padre, non ha molti amici, non ha una ragazza, non ha hobby, non ha (2)..................... di fare qualcosa di particolare nel tempo libero. Quando viene il weekend, si mette sulla poltrona e guarda la tv, spesso (3)..................... prima della fine di un film e quando si sveglia c'è un nuovo film e lui non capisce niente: si chiede perché non c'è più Robert De Niro, perché adesso i personaggi sono in Francia e non a New York, insomma va a letto con la testa piena di confusione e non pensa a niente, solo a dormire e ad aspettare un nuovo lunedì, con il traffico, lo stress, il lavoro...

No, non è vita, la sua. Ma cosa può fare?

Prima di tutto, pensa Pietro davanti allo specchio mentre (4)..................... la barba, cambiare.

– Sì, ma come? – dice la sua faccia nello specchio.

– Cambiare, così! – Pietro schiocca le dita.

– Sembra facile! – dice lo specchio.

– Se voglio, lo posso fare. Cambiare la mia vita, dall'oggi al domani.

– Allora dai! – dice lo specchio: – sono proprio (5)..................... di fare le stesse cose, ogni giorno, ogni settimana, per tutta la vita!

– Ok! – grida Pietro.

**4. Completa gli spazi bianchi con le parole date sotto.**

| | | | |
|---|---|---|---|
| *colazione* | *giornalaio* | *anche* | *solito* |
| *edicola* | *si stupisce* | *fare* | *vanno* |

Pietro ha deciso di cambiare vita. Esce di casa per (1)..................... una passeggiata e per vedere gli altri che (2)..................... a lavorare: quando cammini senza fretta Roma è bella (3)..................... con il traffico! Pietro compra il giornale all'(4)..................... sotto casa; il (5)....................., abituato a vedere Pietro sempre prima delle otto, (6)...................... Pietro e il giornalaio parlano e Pietro decide di non comprare il (7)..................... giornale: vuole davvero cambiare vita, e decide anche di fare (8)..................... al bar.

# Attività

**5. Sei impazzito?, Magari sempre!, Ecco tutto, Diciamo che...** sono espressioni del linguaggio quotidiano che esprimono diverse sensazioni: sai dire quali? Collega le espressioni con le definizioni giuste.

| | |
|---|---|
| 1. Sei impazzito? | ⓐ Quando desideriamo molto una cosa. |
| 2. Magari sempre! | ⓑ Quando qualcuno fa qualcosa di strano. |
| 3. Ecco tutto | ⓒ Quando vogliamo spiegare qualcosa. |
| 4. Diciamo che... | ⓓ Quando abbiamo finito di dire qualcosa. |

Definizioni: 1. ......... 2. ......... 3. ......... 4. .........

**( 8 ) 6. Ascolta il brano e indica le parole o le espressioni NON presenti.**

1. a letto ☐

2. a voce alta ☐

3. vanno a passeggiare ☐

4. odore ☐

5. ripete tutto ☐

6. senza fretta ☐

7. ha fame ☐

8. abituato a vedere ☐

## 7. Racconta... i disegni!

Quando Pietro ha avuto nel bar l'incidente con il cappuccino, tu eri là. Indica la giusta sequenza delle vignette date alla rinfusa e racconta ad un amico quello che è successo, usando i tempi al passato.

La sequenza giusta è: I ......... II ......... III ......... IV .........

# Attività

## 8. Risolvi il cruciverba.

**Orizzontali:**

3. Pietro ha 36 ...
4. Il contrario di pesante.
5. Fare una passeggiata.
7. Un viso senza il naturale colorito.
9. Lo stesso, sempre uguale.
10. Rimanere.
11. Dopo diciannove.

**Verticali:**

1. Il lungo tavolo del bar dove molti si fermano a bere.
2. Sinonimo di triste.
6. L'uomo che vende riviste e giornali.
8. Periodo di riposo.
9. Viene dopo il pomeriggio.

9 ) 9. Cerca l'errore. Ascolta la traccia audio e correggi i 6 errori presenti nel testo.

Poco dopo Pietro è in un bar vicino di casa sua: di solito gli italiani
fanno colazione al bar: bevono un caffè o un cappuccino e mangiano un
cornetto mentre leggono il giornale e poi vanno a lavorare. Pietro no,
preferisce di fare colazione a casa, mangiare i suoi biscotti, preparare
il suo caffè... Ma oggi è un giorno diverso, e decide di fare tutte cose
buone: perciò eccolo al bar vicino a casa, pieno di impiegati che prendono in fretta un caffè e corrono in ufficio, o di avvocati che sfogliano
il giornale mentre prendono il cappuccino. C'è anche qualche studente
che mangia una pasta e legge qualcosa seduto al tavolino. Pietro non
sa se sedersi o restare in piedi. Alla fine decide di sedersi, ma su uno
sgabello al bancone.
Adesso è al pantone che guarda il barista correre di qua e di là per servire i clienti e non ha ancora deciso cosa prendere

1. ......................................................................................

2. ......................................................................................

3. ......................................................................................

4. ......................................................................................

5. ......................................................................................

6. ......................................................................................

# Attività

## 10. Puzzle di frasi: ricostruisci in modo corretto il breve testo.

mentre Pietro si alza

ma la bambina è troppo occupata

e cade su Pietro

tutti si aggrappano dove possono,

per far passare la donna,

a mangiare

l'autobus frena improvvisamente:

la sua pasta

.................................................................................................................

.................................................................................................................

.................................................................................................................

.................................................................................................................

## (10) 11. Ascolta il brano e completa le frasi (max. 4 parole).

1. Si mette un paio di jeans e ................................................................

2. Dotto', che è? Ha già ................................................................

3. Càpita, Nando, quando il bar è pieno e ................................................................

4. Buona giornata, speriamo ................................................................

5. Decide di chiedere a una signora che aspetta ................................................................

**12. Come Pietro, anche nel dialogo che segue Filippo chiede informazioni ad un passante. Ma le battute di quest'ultimo non sono in ordine: ricostruisci il dialogo.**

1. *Filippo*: Scusi, come posso arrivare a Piazzale della Libertà?

2. *Filippo*: Sì. La M significa metrò, non è vero?

3. *Filippo*: Allora... Indipendenza. E poi? Devo cambiare linea?

4. *Filippo*: Ah! Basta prendere l'uscita che si chiama come la piazza! Perfetto! Grazie mille!

a. *Passante*: No no, Via Indipendenza è molto vicina a Piazzale della Libertà. Quando salirà infatti troverà due uscite: una si chiama Viale dei Mille, l'altra, appunto, Piazzale Libertà. Ed è arrivato.

b. *Passante*: Dunque, Piazzale della Libertà... Non è difficile, da qui. Vede poco più avanti quel cartello con la M?

c. *Passante*: Prego!

d. *Passante*: Esatto, la stazione si chiama Mazzini. Ecco, il modo più facile per arrivare a Piazzale della Libertà è prendere il metrò qui e scendere a Indipendenza.

L'ordine giusto è: 1. ........, 2. ........, 3. ........, 4. ........

**13. Abbina le parole al loro corretto significato.**

| | |
|---|---|
| 1. inaugurare | (a) dare un'idea |
| 2. sconto | (b) contento |
| 3. consigliare | (c) cominciare qualcosa per la prima volta |
| 4. taglia | (d) riduzione, ribasso del prezzo |
| 5. soddisfatto | (e) misura di un vestito |

## 14. Facciamo i conti dopo!

a. Leggi le frasi qui sotto e spiega il significato di questa espressione nei diversi contesti.

1. Dopo che avrai scelto tutto, faremo i conti e vedremo quanto devi pagare.

2. Pronto, dove sei? Perché non sei a casa? ...Come torni più tardi? Ma avevi detto che oggi andavamo al ristorante...! Con chi sei...? Ah, quando torni a casa facciamo i conti!

3. Sono molto arrabbiato con Mario: oggi non è venuto all'appuntamento, ieri ha parlato male di me con i suoi amici. Quando lo vedo facciamo i conti...

4. – Posso pagare la frutta domani?
   – Non si preoccupi signora, facciamo i conti alla fine del mese!

Come hai visto, ci sono due significati dell'espressione *facciamo i conti!* Spiega in poche parole quali sono:

Significato I: .........................................................................................

Significato II: ........................................................................................

b. Ora scrivi due frasi per ciascun significato dell'espressione *facciamo i conti!*

I ...........................................................................................................

.............................................................................................................

.............................................................................................................

II ..........................................................................................................

.............................................................................................................

.............................................................................................................

**15. Caccia al... "contrario"!**

Ascolta la traccia audio (anche più volte) e indica, tra gli aggettivi che seguono, quelli che sono il contrario di alcune parole del testo di ascolto. Attenzione, però, ci sono degli aggettivi in più!

☐ economici   ☐ belle   ☐ vecchia   ☐ normale

☐ brutti   ☐ diversi   ☐ simpatico   ☐ triste

☐ anziano   ☐ bassi   ☐ corti   ☐ pesante

**16. Riassumi la storia di Pietro con l'aiuto dei disegni. Attenzione! I disegni non sono in ordine: prima devi metterli in sequenza e poi raccontare in breve ciò che è successo a Pietro in questo suo "giorno diverso".**

La sequenza giusta è:  I .......   II .......   III .......   IV .......   V .......

# Attività

**17. Espressioni colloquiali:**

**a.** *Sono una frana.* Ricordi cosa significa? Tu, in cosa pensi di essere una frana? Scrivi almeno due frasi con questa espressione, come nell'esempio.

Es.: Quando andavo a scuola ero una frana in italiano! Ho sempre preferito la matematica!

.................................................................................................................

.................................................................................................................

.................................................................................................................

.................................................................................................................

**b.** *Quasi quasi...* è un'espressione molto usata in Italia: completa le frasi, come nell'esempio.

Es.: Che bella giornata! Quasi quasi vado al mare...

Che sonno! .......................................................................................................

.................................................................................................................

Sono a dieta, ma mia madre ha fatto una torta buonissima! ...........

.................................................................................................................

Non c'è niente in frigorifero! ................................................................

.................................................................................................................

**18. Attento alle doppie!** Ascolta la traccia audio: le parole che trovi qui sotto sono tutte presenti nel brano, ma alcune non hanno le doppie giuste: quali?

1. bellissime

2. perfetto

3. tropo

4. allora

5. soride

6. difficile

7. fortunati

8. davero

9. tutto

10. accceterà

11. benisimo

12. fiaca

13. interessante

14. tranquila

1. 3, 4, 6

2. 1. Senti, 2. Sembra facile!, 3. Allora dai!

3. 1. si sente, 2. voglia, 3. si addormenta, 4. si fa, 5. stufo

4. 1. fare, 2. vanno, 3. anche, 4. edicola, 5. giornalaio, 6. si stupisce, 7. solito, 8. colazione

5. 1 B, 2 A, 3 D, 4 C

6. 1, 3, 4, 7

7. B, A, D, C

8.

9. 1. *vicino di*/vicino a, 2. *leggono*/sfogliano, 3. *buone*/nuove, 4. *preferisce di*/preferisce, 5. *prendono*/bevono, 6. *pantone*/bancone

10. Mentre Pietro si alza per far passare la donna, l'autobus frena improvvisamente: tutti si aggrappano dove possono, ma la bambina è troppo occupata a mangiare la sua pasta e cade su Pietro.

11. 1. e una camicia bianca, 2. finito la passeggiata?, 3. la gente è distratta, 4. senza altri incidenti!, 5. in piedi alla fermata.

12. 1. b, 2. d, 3. a, 4. c

13. 1. c, 2. d, 3. a, 4. e, 5. b

14. a. *Significato I:* Quando dobbiamo pagare qualcosa; *Significato II:* Quando siamo arrabbiati con qualcuno e vogliamo parlare con lui (o lei).

    b. Risposta libera.

15. economici, vecchia, normale, brutti, diversi, triste, anziano, corti, pesante.

16. D, B, E, A, C

17. Risposta libera.

18. 3 (troppo), 5 (sorride), 8 (davvero), 10 (accetterà), 11 (benissimo), 12 (fiacca), 14 (tranquilla)

**Primiracconti** è una collana di racconti rivolta a studenti di ogni età e livello. Ogni storia è accompagnata da brevi note e da originali e simpatici disegni. Chiude il libro una sezione con esercizi e relative soluzioni. È disponibile anche la versione libro + CD audio che permette di ascoltare tutto il racconto e di svolgere delle brevi attività.

**Traffico in centro** (A1-A2) racconta la storia dell'amicizia tra Giorgio (uno studente universitario di Legge) e Mario (un noto e serio avvocato) nata in seguito ad un incidente stradale. Per Giorgio, Mario è l'immagine di quello che vuole diventare da "grande" e per Mario, al contrario, Giorgio è l'immagine del suo passato di ragazzo spensierato e allegro...

**Il manoscritto di Giotto** (A2-B1) Chi ha rubato il manoscritto? Il furto di un'opera di inestimabile valore, un trattato sulla pittura che rivela anche un segreto legato al grande artista Giotto, scuote la vita dei giovani protagonisti della storia: uno di loro è il colpevole? Così sembra pensare la polizia e così sembrano dire le prove. Solo l'amicizia che lega i ragazzi tra loro e le attente indagini del commissario Paola Giorgi risolveranno il mistero.

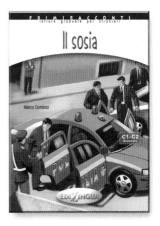

**Il sosia** (C1-C2) racconta la storia di Onofrio Maneggioni, un importante uomo d'affari che viene rapito una mattina davanti alla sua villa. Almeno così sembra. In verità, dietro il rapimento si nasconde il passato dello stesso imprenditore, che torna a bussare alla porta di Maneggioni per regolare alcuni conti in sospeso... Un racconto avvincente in cui non mancano i colpi di scena che mantengono alta l'attenzione e la curiosità del lettore.

# edizioni Edilingua

**Nuovo Progetto italiano 1**
Corso multimediale di lingua e civiltà italiana. Livello elementare

**Nuovo Progetto italiano 2**
Corso multimediale di lingua e civiltà italiana. Livello intermedio

**Nuovo Progetto italiano 3**
Corso multimediale di lingua e civiltà italiana. Livello intermedio-avanzato

**Allegro 1, 2, 3**
Corso multimediale d'italiano
Livello elementare-intermedio

**Allegro 1**
Esercizi supplementari e test di autocontrollo. Livello elementare

**That's Allegro 1**
An Italian course for English speakers
Elementary level

**La Prova orale 1, 2**
Manuale di conversazione
Livello elementare - avanzato

**Video italiano 1, 2, 3**
Videocorso italiano per stranieri
Livello elementare-avanzato

**Vocabolario Visuale**
Livello elementare-preintermedio

**Forte!**
Corso di lingua italiana per bambini (6-11 anni). Livello elementare

**Al circo!** - Italiano per bambini. Livello elementare

**Collana Raccontimmagini** - Prime letture in italiano. Livello elementare

**Sapore d'Italia** - Antologia di testi. Livello medio

**Diploma di lingua italiana**
Preparazione alle prove d'esame

**Scriviamo!** - Attività per lo sviluppo dell'abilità di scrittura. Livello elementare-intermedio

**Primo Ascolto** -Materiale per lo sviluppo della comprensione orale. Livello elementare

**Ascolto Medio** - Materiale per lo sviluppo della comprensione orale. Livello medio

**Ascolto Avanzato** - Materiale per lo sviluppo della comprensione orale. Livello avanzato

**Una grammatica italiana per tutti 1-2**
Livello elementare-intermedio

**I verbi italiani per tutti**
Livello elementare-intermedio-avanzato

**Raccontare il Novecento** - Percorsi didattici nella letteratura italiana. Livello intermedio-avanzato

**Invito a teatro**
Testi teatrali per l'insegnamento dell'italiano a stranieri
Livello intermedio-avanzato

**Mosaico Italia** - Percorsi nella cultura e nella civiltà italiana. Livello intermedio-avanzato

**Collana L'Italia è cultura** - Collana in 5 fascicoli: Storia, Letteratura, Geografia, Arte, Musica, cinema e teatro. Livello intermedio-avanzato

**Collana Cinema Italia**
Letture graduate per stranieri. Livello elementare-intermedio-avanzato

**Collana Formazione
italiano a stranieri (ILSA)**
Rivista quadrimestrale per l'insegnamento dell'italiano come LS/L2